D0537491

I Mam, Dad, Steven a Daniel

Argraffiad cyntaf: 2016

Dymuna'r cyhoeddwyr gydnabod cymorth ariannol Cyngor Llyfrau Cymru

Rhif Llyfr Rhyngwladol: 978 1 78461 365 5

Cyhoeddwyd, rhwymwyd ac argraffwyd yng Nghymru gan
Y Lolfa Cyf., Talybont, Ceredigion SY24 5HE
gwefan www.ylolfa.com
e-bost ylolfa@ylolfa.com
ffôn 01970 832 304
ffacs 832 782

Rockpool Children's Books, 15 North Street,
Marton, Warwickshire CV23 9RJ

Ffan Bach

Pêl-droed Cymru

Mark Williams

Addasiad Cymraeg: Meinir Wyn Edwards

y lolfa

Roedd ffan bach
pêl-droed Cymru
yn gyffrous iawn.
Roedd Mam a Dad
yn fodlon iddo
aros ar ei draed yn hwyr
i wylio ei hoff dîm...

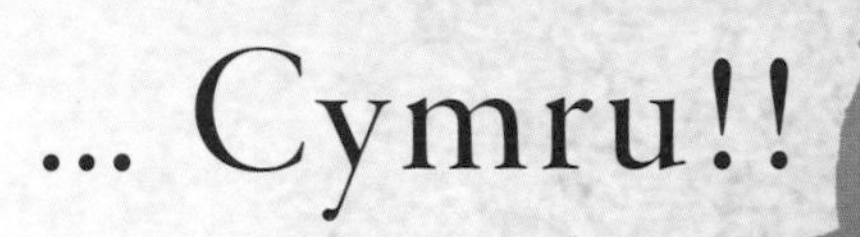

... Cymru!!

Roedd yn gyffrous...
yn gynhyrfus...
yn ansbaradigaethus...
yn cnoi ewinedd
o nerfus!

Yna, sgoriodd
Cymru gôl
ac ennill...
a mynd i'r
rowndiau
terfynol!

A dyma'r peth
mwyaf cyffrous erioed...
mae Mam a Dad wedi addo
mynd â'r ffan bach
pêl-droed i wylio
tîm Cymru
yn chwarae dramor!

Y noson honno, breuddwydiodd
ei fod yn chwarae dros Gymru...
Breuddwyd ryfedd iawn...

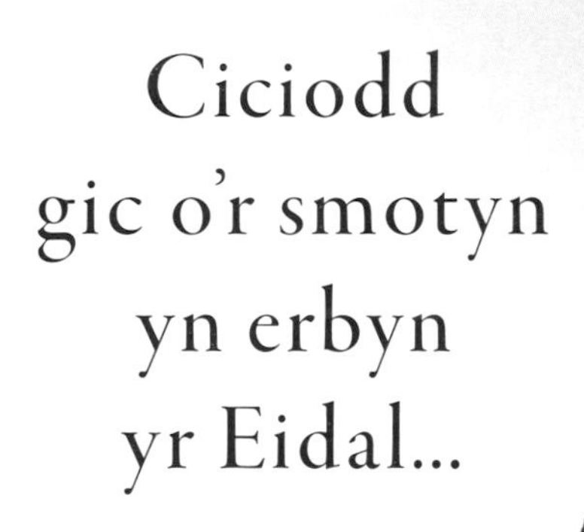

Ciciodd
gic o'r smotyn
yn erbyn
yr Eidal...

... sgoriodd
chwip o gôl
yn erbyn yr Almaen...

... a rhoi peniad
yng nghornel y
rhwyd yn
erbyn Lloegr!

Doedd neb yn debyg iddo.
Fe oedd seren y gêm bob tro!
Y chwaraewr gorau
ym mhob un gêm!

Am fisoedd cyn y daith
bu'n darllen a darllen
am y wlad bell y bydden nhw'n
ymweld â hi.

Dysgodd ambell air
o'r iaith newydd hefyd.

Daeth y diwrnod o'r diwedd!
Yn y maes awyr roedd
cannoedd o ffans pêl-droed Cymru,
a phawb yn canu
'Hen Wlad fy Nhadau'.

Aeth yr awyren i fyny fry
dros y môr,
dros fynyddoedd,
dros wledydd!

Ar y diwrnod cyn
y gêm fawr, fe gerddon
nhw am filltiroedd
o gwmpas y ddinas ddieithr.

Roedd baneri
timau pêl-droed
yn hongian
o'r waliau.

Diwrnod y gêm fawr!
Roedd miloedd o
ffans pêl-droed swnllyd
ar eu ffordd i'r stadiwm enfawr.
Ac fe gafodd y ffan bach
siarad yr iaith newydd
wrth brynu rhaglen y gêm!

Chwythodd y dyfarnwr ei chwiban
a dechreuodd y gêm.
"Dewch mlân, Cymru!"
gwaeddodd y ffan bach yn groch,
a Mam a Dad hefyd!

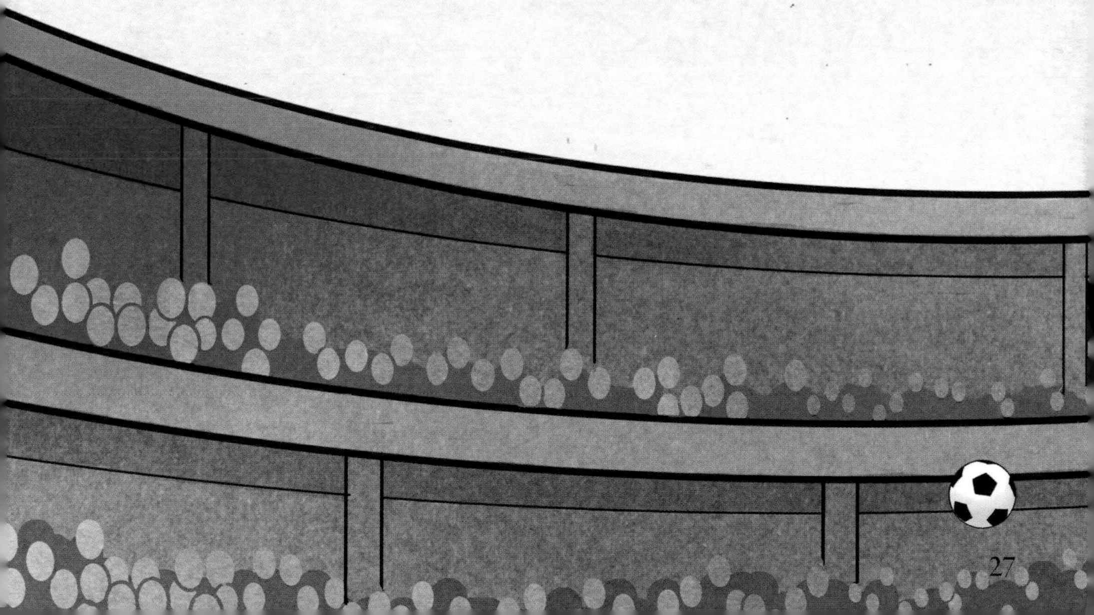

Roedd hi'n gêm wych.
Sgoriodd Cymru ddwy gôl ac ennill.
Hwrê!

Ffan bach
PÊL-DROED CYMRU
CYMRU
Ffan bach
PÊL-DROED CYMRU
'Ffaith'
Chwaraeodd Cymru eu gêm gystadleuol gyntaf yn erbyn Yr Alban ar 25 Mawrth 1876. Felly, Cymru yw'r trydydd tîm rhyngwladol hynaf yn y byd!
CYMRU

Am restr gyflawn o lyfrau'r Lolfa, mynnwch
gopi am ddim o'n catalog
neu hwyliwch i mewn i'n gwefan

www.ylolfa.com

lle gallwch archebu llyfrau ar-lein.

TALYBONT CEREDIGION CYMRU SY24 5HE
ebost ylolfa@ylolfa.com
gwefan www.ylolfa.com
ffôn 01970 832 304
ffacs 832 782